TUM TUM TUM

Puede consultar nuestro catálogo en www.edicionesobelisco.com / www.picarona.net

ALICIA CAEDIZA
Texto: *Gianni Rodari*
Ilustraciones: *Elena Temporin*

1.ª edición: noviembre de 2015

Título original: *Alice Cascherina*

Traducción: *Lorenzo Fasanini*
Maquetación: *Montse Martín*
Corrección: *M.ª Ángeles Olivera*

© 2011, Edizioni EL, San Dorligo della Valle (Trieste) - www.edizioniel.com
Título negociado a través de Ute Körner Lit. Ag. - www.uklitag.com
© 2015, Ediciones Obelisco, S. L.
(Reservados los derechos para la lengua española)

Edita: Picarona, sello infantil de Ediciones Obelisco, S. L.
Pere IV, 78 (Edif. Pedro IV) 3.ª planta, 5.ª puerta
08005 Barcelona - España
Tel. 93 309 85 25 - Fax 93 309 85 23
www.picarona.net
www.edicionesobelisco.com

ISBN: 978-84-16117-55-0
Depósito Legal: B-14.701-2015

Printed in India

Gianni Rodari

ALICIA CAEDIZA

Ilustraciones:
Elena Temporin

 Picarona

Ésta es la historia de Alicia Caediza,
una niña que tenía tendencia a las caídas.
Su abuelo la buscaba para llevarla al parque:
—¡Alicia! ¿Dónde estás, Alicia?

—Estoy aquí, abuelo.

—Aquí, ¿dónde?

Pues sí, tras abrir la puertecilla del despertador
para curiosear un poco, Alicia se había caído
entre engranajes y resortes, y ahora tenía
que saltar sin pausa de un punto a otro,
para que no la arrollaran todos aquellos
mecanismos que constantemente se movían
haciendo tic-tac.

En otra ocasión, su abuelo la buscaba
para darle la merienda:
—¡Alicia! ¿Dónde estás, Alicia?

—Estoy aquí, abuelo.

—Aquí, ¿dónde?

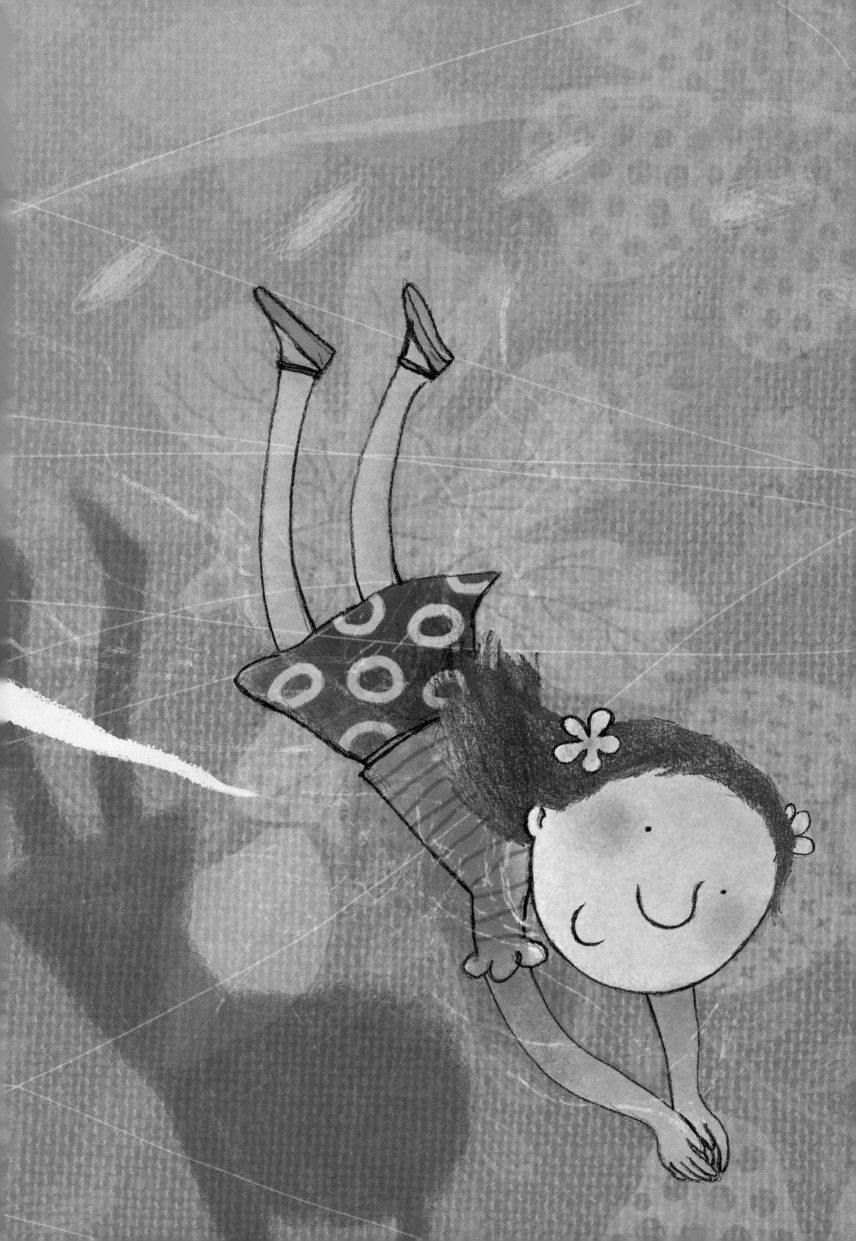

—Justo aquí, en la botella. Tenía sed
y me he caído dentro.

Y allí estaba, nadando afanosamente
para mantenerse a flote.
Por suerte, el verano anterior, en Sperlonga,
había aprendido a nadar.

—¡Espera, que te vuelvo a pescar!

El abuelo bajó una cuerdecita por la botella,
Alicia se agarró a ella y trepó con agilidad.
Era buena en educación física.

Otra vez más, Alicia había desaparecido.
La buscaban su abuelo, su abuela y una vecina
que siempre iba a leer el periódico del abuelo
para ahorrarse un par de euros.

—Pobres de nosotros si no la encontramos antes
de que sus padres vuelvan del trabajo —murmuraba
la abuela, asustada.

—¡Alicia! ¡Alicia! ¿Dónde estás, Alicia?

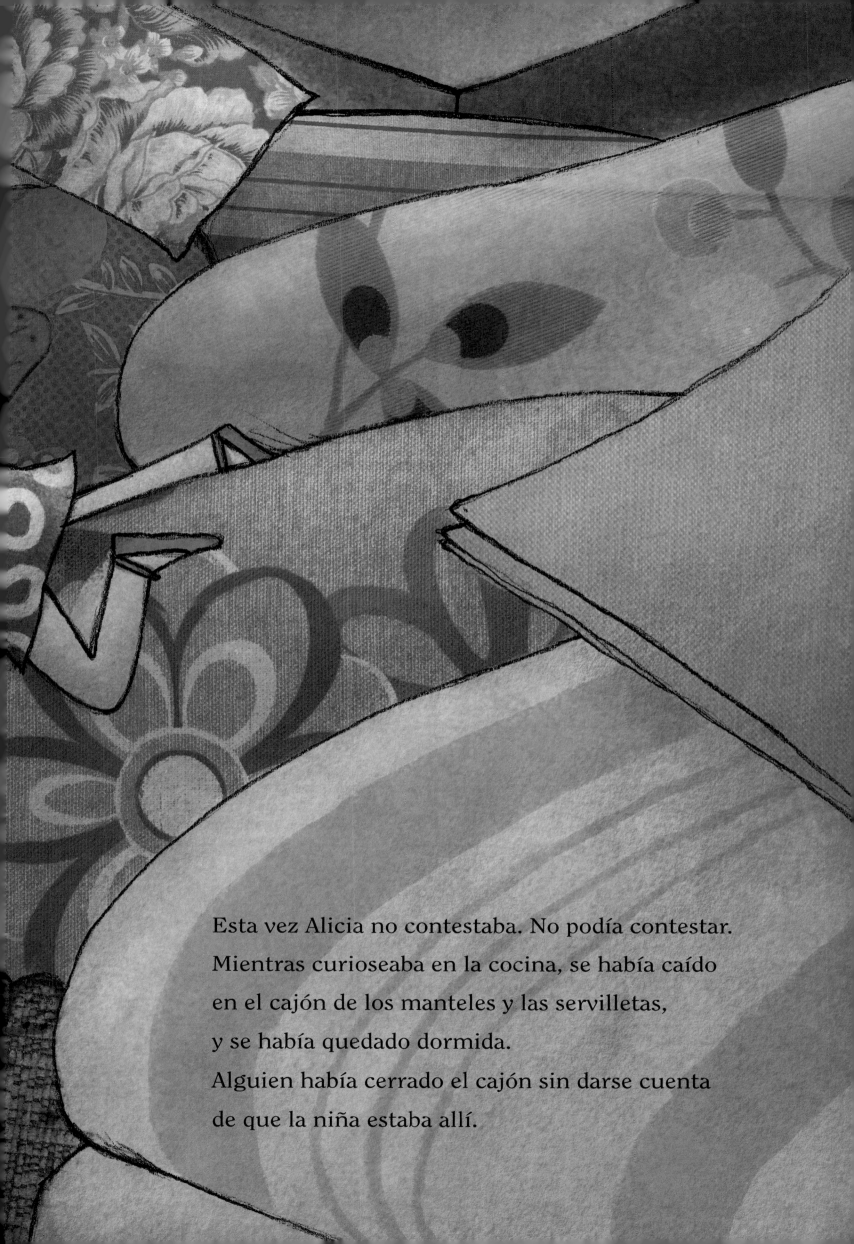

Esta vez Alicia no contestaba. No podía contestar.
Mientras curioseaba en la cocina, se había caído
en el cajón de los manteles y las servilletas,
y se había quedado dormida.
Alguien había cerrado el cajón sin darse cuenta
de que la niña estaba allí.

Al despertar, Alicia se encontró a oscuras, pero no tuvo miedo: ya en otra ocasión se había caído por un grifo, y allí dentro sí que estaba oscuro.

—Tendrán que poner la mesa para la cena –pensó Alicia– y entonces abrirán el cajón.

Pero nadie pensaba en cenar, porque justamente todos estaban buscando a Alicia. Sus padres ya habían vuelto del trabajo y regañaban a los abuelos:

—¡Así es como la vigiláis!

—Nuestros hijos no solían caerse por los grifos –protestaban los abuelos–; en nuestros tiempos sólo se caían de la cama y se hacían algún chichón en la cabeza.

Al final Alicia, cansada de tanto esperar,
fue cavando entre los manteles hasta hallar
el fondo del cajón, y comenzó a patearlo.
Tum, tum, tum.

—Quietos todos –dijo el padre–. Oigo que alguien
golpea en alguna parte.

Tum, tum, tum, Alicia llamaba.

¡Cuántos abrazos y cuántos besos
cuando la volvieron a encontrar!

Alicia aprovechó la ocasión para caerse enseguida
en el bolsillo de la chaqueta de su padre, y cuando
la sacaron de allí ya había tenido tiempo de pintarrajearse
toda la cara jugando con el bolígrafo.